마음의 울타리, 말의 느타리.

마음의 울타리, 말의 느타리.

발 행 | 2024년 02월 28일
저 자 | 이얀
펴낸이 | 한건희
펴낸곳 | 주식회사 부크크
출판사등록 | 2014.07.15.(제2014-16호)
주 소 | 서울특별시 금천구 가산디지털1로 119 SK트윈타워 A동 305호
전 화 | 1670-8316
이메일 | info@bookk.co.kr

ISBN | 979-11-410-7425-8

www.bookk.co.kr
ⓒ 이얀

마음의 울타리, 말의 느타리.

이얀 지음

차례

이번 작품은 하나의 갤러리를 만드는 마음으로 디자인하였고,
또 써내려갔습니다.

앞으로 보여줄 모든 서정과 언어의 가능성을
전부 담겠다는 마음으로,
총 서른 개의 시를 넣어두었습니다.

누군가에게는 한 조각의 쉬어감이,
누군가에게는 한 조각의 의문이.
누군가에게는 한 조각의 위로가
될 수 있는 짧막한 순간에 이 책이 있기를 바라며,
조금은 다른 느낌의
숙성된 이야기를 하나 시작해보려 합니다.

깊이,
그리고 여러번,
그리고 천천히,
음미하고
생각해주시면 감사하겠습니다.

Passage 1

얽매이지 않고, 자유로이, 휘날리게

1

가끔은 가만히 끔뻑하기만 하는
하나의 마음이 되어보고 싶다.
세상이 조금은 살벌한 까꿍을 해대도
몰라본 듯 소스라치지 않는 마음이 되어보고 싶다.

기나긴 기다림의 나이테를 기느다랗게 지나가며
어느 한 순간을 테이프마냥 돌려보게 되는 날이 올 때,
운명의 조금은 어리숙한,
힘조절 실패한 장난질이 걸어들어올 때,

비로소 그 의미를 깨닫고 아프게 웃어보이고 싶다.
운명이 뚜두벅뚜두벅 걸어들어오는 발소리를
조용히 맞아들이고 싶다.
설픈 시간을 헤쳐나와 따숩게 영글은 마음을 끔뻑거리며.

2

아무도 없는,
아니,
아무도 없을 것 같은
아득한 바다 한 가운데에서
나와 같은 배 한 채를 본다면

그것은 끌림일까
아니면 바다의 떠밂일까
아니면 단순히 나 혼자만의 착각일까

느낌이라는 건
생각하는 순간 이미 완료된 것이기에
나 혼자 아쉬움과 펼치는 술래잡기가
마음을 숨차게 할 뿐이었다

두려움이 수줍게
신중함 뒤로 숨어버릴 때
스스로를 난파선이라고 생각하고 싶은 마수운 마음이
첫 손길을 애써 밀어 보냈고

어느새 배는 떠나 있었다.

3

잿빛 하늘이 유달리 어슴푸레한 저녁
거리를 걷다가 문득 울고 싶어질 때가 있다.
멀리 떨쳐버리고,
애써 밀쳐버리고 싶지만,
그러기에는 너무 공허하고 외로워
슬픔이라도 껴안고 있고 싶은 그런 순간이.
힘내라는 말 한 마디가,
고생하라는 말 한 마디가,
그 어느 때보다 쉬이 굴절되어 마음에 박혀대는,
그런 순간이.
항상 공기처럼 주위를 떠돌았지만,
유난히 아프게 자신의 존재를 드러내는
생의 감각이 그렇게 서러울 수가 없는 순간이.

많이 힘들었을 것이다.
많이 외로웠을 것이다.
그런 자신 속으로 누구보다 깊게 파고들어 봤을 것이다.
강해져도 상관 없다.
약해져도 상관 없다.

하지만

그 모든 순간을 써나가는 스스로를

소중하게 여겨주고 다뤄주었으면 한다.

어쩌면

스스로를 가장 가까이 기대줄 수 있는

가장 마지막 사람이기에.

4

사람과 사람의 만남은
하나의 세계와 다른 세계가 만나는 일이다.
그 모든 세계들이 섶섶이 쌓이고 쌓여
세상을 만들어 나간다.

사람은 언제나 외롭다.
혼자 있어도 외롭고,
함께 있어도 외롭다.
다만 내 안에 있는 외로움과 거래를 트는 것 뿐이다.
외로움이 뛰놀 방 하나를 구해다 주는 조건으로
자기에게서 잠시 떨어져 있는 거래를.

외로움이라는 놈은 아이랑 같아서
떨어질라치면 첫 유치원처럼 나름대로 처절하고,
다시 돌아갈라치면 마지막 놀이터처럼 나름대로 구질구질하
더라.

나는 그 외로움을 참,
응석받이로 키웠나 보다.

5

안다는 건 생각보다 참, 별거였다.
가장 전부인 것을 아무것도 아니게 만들고,
가장 아무것도 아닌 것을 전부인 것으로도 만드니.

안다는 건 생각보다 경이롭고도 요상한 것이었다.
갇혀있는 것에서 풀려나기도 하지만,
풀려나있는 것에 안다는 갇힘을 부여하는 것이기도 하니.

그렇기에,

모든 것을 알았지만 그 어떤 것도 모르는 것이었고
어떤 것도 몰랐지만 모든 것을 알기도 했다.
그걸 들여다본다는 또 하나의 앎이 끼어들기 전까지.

6

이름 모를 산의 이름 모를 봉우리에 올랐다.
파도는 발 바로 밑에서 사롯이 넘치고 있었고
바람은 머리 위를 휘륙휘륙 지나가고 있었다.

혼란스러운 공간들로부터
애써 벗어나온 순간들의 이끌림이
어느새 나를 벼랑 끝으로 내밀고 있었다.
애써 묻어버리고 싶은 이름들이
한번한번, 앞으로 쌓아나가야 할 시간을
들이쉬게 하고 있었다.

7

끊임없이 항해하던
그 언제인지도 모를 까마득한
없애버리려고 그렇게 밟아대도
한을 여무렇게 실어담은 사람들의 입과 입을 통해
전해져 내려오던 선조들의 전설은
그렇게 다져지고 바싹 말라
하나의 황태처럼 딱딱히 굳어졌다.

다만, 함정은

그것이 필요하게 된 순간에는
누구도 물에 불려 먹어야 함을
까먹어 버린 것.
그렇게 전설은 다시 한 번,
어떻게든 다시 꺼내돌려와졌다.

8

뿌리부터 가지 끝까지 바싹 마른 그 나무는
이미 죽어버린 줄 알았다.

물기 하나 없는 나무껍질에서 겨울을 걷어내자
나무는 푸르솟았다.

보라고.
여기 와서 네 눈으로 똑똑히 보라고.
난 지금 여기 꼿꼿이 일어서 있다고.
너의 섣부른 판단도 나를 죽이지는 못했다고.
끝내 나는 해냈다고.

나무가 지르는 푸른 함성을 매만지고 있었다.

9

그어느날부터나에게다가왔었■

지금도나에게여전히매달렸었■

나를자꾸만자꾸만성가시게했■

머무르려고해도거기서막혔었■

이런내가그냥한심해만보였었■

사람사는게다그런가생각했었■

하지만그건또아닌것도같았었■

그래서지금도이런글을써봤었■

내혀밑에터지지못한말을이렇게라도느껴봤으면좋겠■

Passage 2

풀어헤친 것을 다시, 결국 똑같은 것으로, 묶다.

10

봄바람에 흩날리는 꽃잎처럼,
당신의 웃음 한 조각이 세상을 환하게 밝혀줍니다.

매일이 조금은 특별해지는 것은,
그대가 있기 때문입니다.

비록 먼 길을 걸어가야 할지라도,
당신의 웃음 한 조각이 있으면,
그 길이 행복으로 가득 찰 것입니다.

11

따숩게 흘러가던 봄바람이
꽃잎을 나랑나랑하게 나부끼던 어느 날,
당신의 웃음 한 떨기가 세상에 드리워졌다.

하나의 순간에 불과할 수 있는 매일에
'소중한'이라는 단어를 붙여주는 것은
그대가 있다는 하나의 사실이었다.

비록 언제 끝날지 모를 먼 길을 걸어가야만 할지라도
그 드리워진 웃음 한 떨기가
그 길의 아픔, 슬픔, 그림자에
'추억'이라는 색깔을 칠해주리다.

12

하나의 꽃잎.
하나의 웃음 쪼가리.

둘에 감사하고,
둘에 특별해지다.

셋이라는 절체절명의 카운트다운 앞에서도
세상을 향해 수북한 걸음을 옮기는 것은,
셋방이어도 좋은 당신이기에.

13

무엇이 그렇게 환했을까.
봄바람에 흩날리는 꽃잎이.

그대가 있었기에,
매일이 조금이라도 특별해진 것이었을까.

하나의 행복에 필요했던 건
한 조각의 웃음뿐.
그게 비록 먼 길을 향한 여정이었더라도.

14

여름이라는 순간이 영글어갈 때,
세상이 가장 하얗게 피워주는 함박웃음이
문득 되게 따사로운 순간이 있다.

그 드리워진 웃음 아래
또 다른 웃음 하나가 살포시 포개어졌다.
그저 꺄끗하게 명랑할 뿐인,
화남 없는 환함을 내뿜는 웃음 하나가.

행복은 본시 공기와 같아서
없음으로 그 존재를 알리는 일상이라는,
그 어느 날의 한 마디가
앎이라는 무언가로
매일을 조금씩 별일로 쌓이고 있었다.

하나의 걸음이 너무나도 미약한 길일지라도,
그 하나의 함박웃음은
어느새 행복을 잔뜩 들이쉬는
발자국을 끊임없이 낳아가고 있었다.

15

웃음.

웃돈 여름 하늘을
음미하다.

웃살기만 바라보던 나에게
돈독함을 잊어가던 나에게
여러분이라는 단어가 늠직하게 자리잡아
하루를 늘 을퍼가며
음식과 같은 맛으로 하염없이 다시게 하다.

16

세상이 환해서였을까,
여름의 햇살이 꽃잎을 흩날리는 것만 같아서였을까.
팽나무 밑에서 흘려보내던,
그 웃음이 이렇게 환해보일 수 있을까 싶었다.

하나의 매일이
또다른 하나의 매일을 쌓아갔고
또 다른 매일이
또   다른 하나의 매일을 쌓아가고
또또다른 매일이
'그대'라는 단어로 징검다리를 삼고 있었다.

고작 반 발자국짜리 걸음이라도
그 길이 행복으로 가득 차지 않았음은 곧,
당신의 웃음 한 조각이 없어서였으니.
코 한 번 팽 풀고
한 조각 쥐고 다시 일어서보려나.

17

이제 막 서글어지기 시작한 여름의
시푸른 이파리를 떠나보내려 하며,
그렇게 실어 보내는 웃음 한 조각이
세상에 보내는 파르른 부채질.

하나의 매일을 조금 특별해지게 만드는 것은
그저 있다는 사실,
있다는 걸 안다는 사실이었을뿐.

하나의 길이 멀게 곧뻗은 앞에서
가만이 옴팡쥔 손에 쥔 한 조각의 웃음을
세상 끝까지 놓지 않겠다는 맹세와 함께
행복이라는 단어가 낙엽처럼 휘돌기 시작한다.

18

여러장 낙엽들이 각자의 색깔들을
홀로서 찾아가는 웃음을 바라보면
길위가 하염없이만 특별하게 되겠다.

19

계절이 지나가는 하나의 색깔 위에
당신의 눈물 하나가 조용히 세상 위로 떨어졌다.

어제가 자꾸만 오늘을 붙잡으려 달려오고,
하나의 매일을 어제로 보내가며
희한한 마음을 임시로 달래가는 건
그대가 있기 때문이었을까.

한 발자국도 내딛지 못하는 발이
어느새 벼랑 위에 섰다.
낙엽에 함뜩 가려진
있음과 없음의 경계에 걸친 바닥들이
딛을 수도, 안 딛을 수도 없는
발자국들을 열심히 벼르고 있었다.

20

세상이 환함을 아늑함으로 바꾸어갈 때는
꼭 당신의 웃음이 무거워지곤 했다.
머리끝까지 차오른 환함을
서서히 빈공간이 채워가기 시작할 때,
그 어느 날 동화에서 나올법한 마을에는
가을이 온다.

푸얀 하늘이 뿌려대던 빛을
잔뜩 그러쥐기만 하던 나무들은
그동안 갈무리해둔
특별하던 매일의 세상의 빛깔을
한 뼘자리 도화지에 물들여서는
놓아내기 시작한다.
그것을 보여주고 싶었던
누군가가 있었었던 것처럼.

한이었을까.
그 어느 시인의 진달래꽃처럼
떠나갈, 어쩌면 떠나간 인의 길 뒤로

누덕누덕 뿌려진 연의 길이

호로이 가는 길을 즈려밟히고 있었다.

21

지나간 봄바람 흔적이
기나긴 웃음의 자욱을
선하게 훑고 있었다.

매일매일 다름없는 찰나같은 순간들이
사무치게 그리웁던 하나같은 여럿들이
겨울저편 눈꽃소리 마음가득 멈춰서서
함께라는 이름묻은 함박웃음 던져줬다.

눈 내리는 밤, 별빛이 속삭여
한 편의 시를 적히 써내려가다.

22

겨울바람에 흩날리는 눈꽃처럼,
당신의 눈물 한 방울이 세상을 서럽게 휘날리고 있었다.

매일이 차늘하게 특별해지는 것은,
내 기억 속에 남은 그대가
아직 살아 있기 때문이었을 것이다.

비록 먼 길을 걸어가야 할지라도,
그 마음의 모서리 끝에서 끝까지 버티고 있는 기억이
한 발자국씩,
획을 가득 채워나가고 있었다.

23

길이 포근하다는 느낌을 처음 받아본다.
한 조각의 웃음과 함께 내딛는 길이.
그 하나의 아직 써내려가지 않은 이야기들이.
종이 위에 옮겨놓는다면
세상이 끝나도록 끝나지 않을 이야기들이.

하나의 존재라는 건
꼭 특별함을 만들어나가더라.
내가 의지할 수 있는 특별함과,
나를 특별하게 만드는,
내가 보는 세계와
내가 엮어가는 시간에 입혀주는 특별함을,

무심코 흘러가버린 어떠한 지점들을 추억하며
아프게 웃던 그 얼굴을 기억하며
웃음 한 조각이 세상을 환하게 밝힌 것도 있었지만
세상이 환했기에 그 웃음 한 조각이 있었음을
또한 쓰리게 추억하며
흩날리는 모든 색채의 조합을

하염없이 바라본다.

24

겨울이라는 하나의 이야기.
울음이 쉽사리 그치지 않던 그 어느 날 밤의 아픔이
이지러지도록 차가웁던 눈물 한 가운데
라온 이야기를 나는 애써 풀어보려 하였지만
는개는 야속하게도 어느새
겨울 벌판을 두텁게 채우고 있었다.

하늘이 무너져 아픈 가슴이 못내 깨어지던 날
나랑나랑한 목소리만이 머릿속 그대 모습으로 남았고
의미는 서서히 특별함을 잃어갔다.

이제는 비록 다시 먼 길을 떠나야겠지만,
야박하게 떠나보냈던 그대의 모습이 아직도 눈에 밟혀
기도 한 마디를 아무 방향으로나 실어 보내리.

25

모든 색깔이 잿빛이라는 이름 아래 무릎을 꿇었던 어느 날 밤,

누군가가 나에게 말하는 듯 물었다.

항상 네가 먼저야. 이름대로 살아. 좋은 이름 두고. 왜.

이름과 별명 사이의 다리찢기에서 지쳐버린 나는 갑자기 오래토록 숨겨두었던 불행이 기다렸다는 듯 고개를 내미는 것을 지켜볼 수 밖에 없었다.

세상에서 자기가 제일 불행하다고 생각하면 안 된다.

왜냐하면 내가 제일 불행하니까.

그래서 우리 서로 왜 불행하지 이야기해보자고 했다.

서로 이야기했다. 하지만 완전히 잊어달라는 말은 차마 못했다.

그것을 내 마음 다쳐가면서 지킬 것이라고 생각한 걸까.

내 마음을 다치게 하면서 지킬 건, 지킬 수 있는 건 아무것도 없는데,

내 일, 내일이 조금이나마 특별해지는 건

내가 나를 지켜서 만들어진 하나의 이야기들일텐데.

문득 그랬다.

지금 어디쯤 서 있는 건지,

어디서부터 어떻게 잘못된 건지 모르겠었다.

눈 뜨고 있는 모든 시간이 노동의 연장선이었다.

그것이 묘하게 그늘진 한 명의 사람에게 그림자 같은 사람이라는

이름을 붙이고 있었다.

이제는 똑바로 봐야 하나 싶었다.

그래야 넘어져도 다시 일어날 수 있으니까.

사람인데. 나는 계속 어떤 쓸모가 있는 사람인지 고민하고 있었을까.

이렇게 살아있고, 또 살아가니까.

비로소 나는,

있는 힘껏 행복할 결심을 할 수 있게 될 것이다.

Passage 3

말, 마음, 그리고 얽어듦의 아름다움

26

잠시나마 훔쳐본 불꽃이
그 온기 속에서
세상 시름 두려움을
살라먹고 있을 때
안온하게 잠시나마 미뤄둔 추위가
감싸는 포근함, 그 기세 가운데
그리움이 세상을 뒤덮으며
언제나 마음을 어둡히고 있을때
바람으로 차늘하게
만드려 뒤덮는 묘한 아늑함이
겨울밤으로 밀려온다.

27

바람이

사뭇 부드럽게

하루를 어루만지던

그 어느 날의 물결이

하나의 이야기를 사뭇 부드럽게

가만히 내일을 몰아달리다가도

들여다보는 그 어느 날의

차디찬 하나의 이야기를

스침이라도 되는 듯 가만히 하늘이

한 편의 시간을 바라다보던 순간처럼 사뭇 부드럽게

굴려가며 따뜻한 내일을 어루만지던

추억이라도 되는 듯 그 어린 날의

저편의 이야기를

소중히 갈무리하다

28

지나고 나면

괜찮겠지만

나는 지나고 나면

지나기 전이라서요, 괜찮을 줄 알았는데

한참 기다린 나는

마음의 뒷골목을 아직 지나기 전이라서요

공백의 시간을 한참 기다리다가도 지나고 나면

애써 채워보다보면 마음의 그림자는 괜찮겠지만

한 가득 목 메인 공백의 시간은 너는 지나고 나면

흔적과 함께 애써 채워지기에는 이미 지나갔기에 괜찮다고

하기에는

마음이 한참 억쌓였고 한참 늦음이 너는

서럽도록 마음의 여백을 지나지 않아졌고

지나간 듯 뒷골목의 사색을 애써 들춰보지만

한참 기다린

마음이

여전히 아파서요.

내가.

꿈.
파란
풍경을 꿈
깊은 파란
생각의 풍경을
맑고운 깊은 파랑으로 꿈.
바람이 심연의 풍경을 푸르런 꿈으로
어린 날의 하여운 얕음으로 풍경을 파랗게
물들인 마음이 생각하다, 깊은 모습에
또 다시, 꿈.

가끔은 세상이 몰라본
기나긴 어느 운명의
아무도 없는 느낌이란 건,
생의 감각이 그렇게 서러울 수가 없는 순간이었을 것이다.

하나의 이야기는
또다른 이야기를 낳았고,
그늘진 이야기는
양지바른 이야기가 되기 위해 애썼다.
모든 것을 펼쳐보였고,
모든 것을 감춰보였다.
끊임없이 완성시켜 나가야 할,
하나의 모순을 위해.

Passage Hidden

앎이 만들어내는, 요상하기 짝이 없는 암호풀이

26 (II)

잠시나마 훔쳐본 불꽃이
그 온기 속에서
세상 시름 두려움을
살라먹고 있을 때
안온하게 **잠시나마 미뤄둔 추위**가
감싸는 포근함, 그 기세 가운데
그리움이 세상을 뒤덮으며
언제나 마음을 **어둡히고 있을때**
바람으로 **차늘하게**
만드려 **뒤덮는 묘한 아늑함**이
겨울밤으로 밀려온다.

27 (III)

바람이
사뭇 부드럽게
하루를 어루만지던
그 어느 날의 **물결이**
하나의 이야기를 **사뭇 부드럽게**
가만히 내일을 몰아달리다가도
들여다보는 **그 어느 날의**
차디찬 **하나의 이야기를**
스침이라도 되는 듯 **가만히** 하늘이
한 편의 시간을 **바라다보던** 순간처럼 사뭇 부드럽게
굴려가며 **따뜻한 내일을** 어루만지던
추억이라도 되는 듯 그 어린 날의
저편의 이야기를
소중히 갈무리하다.

28 (IV)

지나고 나면

괜찮겠지만

나는 **지나고 나면**

지나기 전이라서요, **괜찮을 줄 알았는데**

한참 기다린 **나는**

마음의 뒷골목을 **아직 지나기 전이라서요**

공백의 시간을 **한참 기다리다가도** 지나고 나면

애써 채워보다보면 **마음의 그림자는** 괜찮겠지만

한 가득 목 메인 **공백의 시간은** 너는 **지나고 나면**

흔적과 함께 **애써 채워지기에는** 이미 지나갔기에 **괜찮다고**

   하기에는

마음이 **한참 억쌓였고** 한참 늦음이 **너는**

서럽도록 마음의 여백을 **지나지 않아졌고**

지나간 듯 뒷골목의 사색을 **애써 들춰보지만**

한참 기다린

마음이

여전히 아파서요.

내가.

꿈.

파란

풍경을 **꿈**

깊은 **파란**

생각의 **풍경을**

맑고운 **깊은** 파랑으로 **꿈.**

바람이 **심연의** 풍경을 **푸르런** 꿈으로

어린 날의 **하여운** 얕음으로 **풍경을** 파랗게

물들인 **마음이** 생각하다, **깊은** 모습에

또 다시, 꿈.